世界名詩選集 / 바 이 런

SEO MUN DANG'S
SCENTED TREASURY
OF WORLD POETRY
AND
FINE ART

世界名詩選集 / 홍윤기 譯

바 이 런

瑞文堂

바이런 차례

I. 사랑의 마지막 이별

아테네 소녀여, 그대 헤어지기 전에·10
단장(斷章)·14
음악(音樂)을 위한 시·16
사랑의 마지막 이별·18
청춘의 햇빛·20
숲 속의 동굴·22
젊은 날은 가고·24
이별(離別)·26
우리 서로 헤어졌을 때·30
우는 것을 보았어요·34

II. 그대여, 방황은 이제 그만…

구름은·39
자아, 방황은 이제 그만·40
몰타 섬에서 사진첩에 쓴 시·43
여자에게·44
「사랑의 근본」이 무엇이었냐고
물었다면·49
캐롤라인에게·50
오! 어여쁜 꽃으로 진 이여·54
때로는·56
어여쁜 퀘이커교도(敎徒) 아가씨에게·58
우리는 말이 없었지만·60
잠깨어 있을 때·62

III. 사랑에 부치는 노래

두 번 다시·66
포 강(江)에 부치는 노래·68
세월이·72
물결은·74
그녀의 빛나는 눈·76
그녀는 돌아와 주려나·79
이방인(異邦人)·80
맑고 잔잔한 레만 호수여!·82
밤의 정적(靜寂)은·84
밤의 향락자(享樂者)·86

IV. 사랑—그 추억의 강(江)가에서

오, 별들이여!·90
하늘과·92
그리하여·94
추억(追憶)·96
그 여인의 걸음새는 어여쁘고·98
그림자 하나 보이더라도·100
그 뺨·103
강(江)가에서·104
슬픔에 젖어·107
버드나무 가지에·108
애드리안 영전(靈前)에의 고별사·110

V. 그대 영혼의 기슭 가까이

라인 강기슭에서·114
짙푸른 눈을 가진·116
백합(百合)꽃을·118
강물은 의젓하게·120
라오콘의 고통·122
큰 바다·125
발자국·126
바위를 깎아 세운 도시·128
그대 기슭·130
그대 빛나는 거울이여·132
그래서 나는·134
로 마·136
니오베·138

영국 낭만주의 시인의 대표시인—
바이런·140

바이런——원시(原詩) / 차 례

MAID OF ATHENS, ERE WE PART·13
FRAGMENT·15
STANZAS FOR MUSIC·17
LOVE'S LAST ADIEU·19
SUNSHINE OF YOUTH·21
CAVES OF THE FOREST·23
YOUTH FLIES·25
ON PARTING·28
WHEN WE TWO PARTED·33
I SAW THEE WEEP·34
AS CLOUDS·39
SO, WE'LL GO NO MORE A ROVING·41
LINES WRITTEN IN AN ALBUM, AT MALTA·43
TO WOMAN·46
ON BEING ASKED WHAT WAS THE "ORIGIN OF LOVE"·49
TO CAROLINE·53
OH! SNATCH'D AWAY IN BEAUTY'S BLOOM·54
AND OFT·56
TO A BEAUTIFUL QUAKER·59
WE NEVER SILENCE BROKE·61
AWAKE·63
AGAIN NO MORE·67
STANZAS TO THE PO·71
TIME·73
THE CURRENT·75
HER BRIGHT EYES·76
WILL SHE RETURN·79
A STRANGER·81
CLEAR, PLACID LEMAN!·83
THE HUSH OF NIGHT·85
AN EVENING REVELLER·86

YE STARS!·91
ALL HEAVEN·93
THEN·94
REMEMBRANCE·96
SHE WALKS IN BEAUTY·98
ONE SHADE THE MORE·100
ON THAT CHEEK·103
BY THE RIVERS·104
WHILE SADLY·107
ON THE WILLOW·108
ADRIAN'S ADDRESS TO HIS SOUL
WHEN DYING·110
BY THE RHINE·115
WITH DEEP BLUE EYES·117
THE LILIES·119
THE RIVER NOBLY·121
LAOCOON'S TORTURE·123
THE OCEAN·125
STEPS·127
ROCK-BUILT CITIES·128
THY SHORES·131
THOU GLORIOUS MIRROR·133
AND I·135
ROME·137
THE NIOBE·139

Ⅰ. 사랑의 마지막 이별

아테네 소녀여, 그대 헤어지기 전에

아테네 소녀여 그대 헤어지기 전에
내게 돌려 다오, 오 내 마음을!
아니면 내 마음 이미 내 가슴 떠났으니
그대 지금 안심하고 받아주기 바래요!
내 떠나기 전의 맹세 들어주기 원해요
「내 생명, 그대를 사랑해요.」

에게 해(海)의 해풍에 놀림받으며
펄럭이는 당신 머리카락에 맹세하며
보드라운 장미빛 뺨에 입맞추지
검은 속눈썹 얹힌 눈꺼풀에 맹세하여
어린 사슴처럼 기민한 그대 눈동자에 맹세하며
「내 생명, 그대를 사랑해요.」

내 오랜 날 입맞춘 그 입술에 맹세하며
처녀의 허리띠 두른 그 허리에 맹세하여
말로는 다할 수 없는 모든 것
기교 있게 말하는 꽃말로 맹세하며
서로가 좇는 사랑의 기쁨과 슬픔에 맹세하여
「내 생명, 그대를 사랑해요.」

아테네 소녀여! 나 이제 떠나가네
어여쁜 그대여, 당신 홀로 있다면 나 생각해 주어요
나는 이스탄불에 갈지라도

아테네는 내 가슴과 내 마음에서 떠나지 않는 것
내 그대 사랑함을 그칠 수 있겠는가?
아니 영원히 그칠 수 없다네!
「내 생명, 그대를 사랑해요.」

MAID OF ATHENS, ERE WE PART

Maid of Athens, ere we part,
Give, O, give me back my heart!
Or, since that has left my breast,
Keep it now, and take the rest!
Hear my vows before I go,
"My life, I love you."

By those tresses unconfined,
Woo'd by each Aegean wind;
By those lids whose jetty fringe
Kiss thy soft cheeks' blooming tinge;
By those wild eyes like the roe,
"My life, I love you."

By that lip I long to taste;
By that zone-encircled waist;
By all the token-flowers that tell
What words can never speak so well;
By love's alternate joy and woe,
"My life, I love you."

Maid of Athens! I am gone,
Think of me, sweet, when alone.
Though I fly to Istanbul,
Athens holds my heart and soul.
Can I cease to love thee? No!
"My life, I love you."

*바이런이 1810년에 쓴 작품으로서, 이스탄불 주재 영국 부영사 데오도르 배클리 부인의 장녀 테레사가 이 시(詩)에 등장하는 소녀이다.

단 장(斷章)

——초워드 양이 결혼한 뒤에 짤막하게 기록함——

황량한 앤즐리 언덕이여
내 어리석은 어린 날 뛰놀던 곳이여
거센 폭풍은 지금 북녘에서 일어
거꾸로 휘몰아치고
잎이 무성한 나뭇가지에
날카로운 목소리가 터진다네 !

언제나 은밀한 곳에서
세월이 흐르는 것도 잊었으나
끝내 다시 돌아올 수 없는
옛일이 되어 버렸으니
미소하는 메리가
선녀처럼 바라보이던 날도
끝내 다시 돌아올 수 없는
옛일이 되었다네.

FRAGMENT

—— WRITTEN SHORTLY AFTER THE
MARRIAGE OF MISS CHAWORTH ——

Hills of Annesley, bleak and barren,
Where my thoughtless childhood stray'd,
How the northern tempests, warring,
Howl above thy tufted shade!

Now no more, the hours beguiling,
Former favourite haunts I see;
Now to more my Mary smiling
Makes ye seem a heaven to me.

음악(音樂)을 위한 시

「아름다움」의 아가씨들 가운데
그대처럼 이상한 힘 갖는 이 없구나
당신의 아름다운 목소리는 내 귀에
바다 위로 건너오는 음악(音樂)과도 같아요
매혹될 때마다 소리가 젖어들고
파도는 잠들며 빛 반짝이며
바람은 멎어 꿈길에서 논다네.

한밤의 달그림자는
반짝이는 쇠사슬 해원(海原)에 엮어
바다의 가슴 따사로이 숨쉬어
어린 아기가 잠드는 것과 같다네
그리하여 그대 앞에 정령(精靈)은 무릎 꿇고
끊임없이 노래하는 당신 목소리에 귀기울여
여름날의 큰바다 물결치듯
따사롭고도 포근한 정감에 담뿍 안긴다네.

STANZAS FOR MUSIC

There be none of Beauty's daughters
With a magic like thee;
And like music on the waters
Is thy sweet voice to me:
When, as if its sound were causing
The charmed ocean's pausing,
The waves lie still and gleaming,
And the lull'd winds seem dreaming:

And the midnight moon is weaving
Her bright chain o'er the deep;
Whose breast is gently heaving,
As an infant's asleep:
So the spirit bows before thee,
To listen and adore thee;
With a full but soft emotion,
Like the swell of Summer's ocean.

사랑의 마지막 이별

독(毒)이 있는 이슬 젖은
풀 속에서 자라나더라도
사랑의 장미는
인생의 꽃밭의 기쁨이야
하지만 시간은 그 잎에
잔혹한 칼을 내리쳐
사랑의 마지막 이별에는
영원한 일격을 가하지 않는가 !

사랑의 교태로도
슬픈 마음 달래봄은 헛된 일
영원히 변치 말자는
맹세를 하는 것도 헛된 일
어느 순간에 하찮은 일로
서로가 헤어지는 일 있고
사랑의 마지막 이별에는 사신(死神) 찾아와
우리를 서로 갈라놓았구나 !

아직 희망은
「우리 다시 만날 날 돌아오리」라는 속삭임으로 하여
슬픔에 가득 찬 가슴 달래주지
거짓의 꿈일지라도
마음의 슬픔에도 이것으로 아늑해져
사랑의 마지막 독배(毒杯)를 마시지 않고 만다네 !

LOVE'S LAST ADIEU

The roses of love glad the garden of life,
Though nurtured 'mid weeds dropping pestilent dew,
Till time crops the leaves with unmerciful knife,
Or prunes them for ever, in love's last adieu!

In vain with endearments we soothe the sad heart,
In vain do we vow for an age to be true;
The chance of an hour may command us to part,
Or death disunite us in love's last adieu!

Still Hope, breathing peace through the grief-swollen breast,
Will whisper, "Our meeting we yet may renew:"
With this dream of deceit half our sorrow's represt,
Nor taste we the poison of love's last adieu!

청춘의 햇빛

오, 저기 한 쌍의 연인을 보라
청춘의 햇빛을 쬐며
자라나는 그들의 어린 날을
사랑은 그 꽃으로
그들을 둘러싸고
꽃은 성실한 계절에만
잠깐 피는 것
사랑의 마지막 이별의 겨울이
다가오면 시들고 말 거야!

어여쁜 아가씨여!
가슴의 살결보다 더 고운 그 뺨을
어찌하여 남모르는 눈물로 적시고 있니
우리는 어째서 그것을 묻는 것이지?
——그대는 이미
사랑의 마지막 이별에
광기(狂氣)의 모이가 된 아가씨거늘!

SUNSHINE OF YOUTH

Oh! mark you yon pair: in the sunshine of youth
Love twined round their childhood his flowers as they grew;
They flourish a while in the season of truth,
Till chill'd by the winter of love's last adieu!

Sweet lady! why thus doth a tear steal its way
Down a cheek which outrivals thy bosom in hue?
Yet why do I ask?— to distraction a prey,
Thy reason has perish'd with love's last adieu!

숲 속의 동굴

오！ 저기 세상을 등진 사람을 보라
남을 피해 도회지를 버리고
숲 속의 동굴로 피해
미친 듯 분노를 터뜨려
바람에게 호소하며 외칠 때
흔들리는 산이 모여
사랑의 마지막 이별을 메아리치네！

사랑의 아름다운 쇠사슬 속에서
폭풍과도 같은 경적의
달콤한 말을 아는 마음조차
이제는 증오가 도사린 집이지
혈관 속 어두운 물결도
이제는 절망에 끓어 솟아
괴로운 그의 생각은 다만
사랑의 마지막 이별！

전에는 가련하다 말했지만
너무나도 몰인정한 사람
그의 기쁨 작으나
또한 그의 괴로움도 작은 것
스스로가 모르는
고뇌를 비웃는 사람인가 하면
사랑의 마지막 이별의
고뇌도 두려워하지 않네！

CAVES OF THE FOREST

Oh! who is yon misanthrope, shunning mankind?
From cities to caves of the forest he flew:
There, raving, he howls his complaint to the wind;
The mountains reverberate love's last adieu!

Now hate rules a heart which in love's easy chains
Once passion's tumultuous blandishments knew;
Despair now inflames the dark tide of his veins;
He ponders in frenzy on love's last adieu!

How he envies the wretch with a soul wrapt in steel!
His pleasures are scarce, yet his troubles are few,
Who laughs at the pang which he never can feel,
And dreads not the anguish of love's last adieu!

젊은 날은 가고

젊은 날은 가고
목숨은 다하여 희망은 어둡구나
우리 이제는 더 이상 지난날처럼
사랑에 몸을 안기지 않네
젊은 날개 펼치던 젊은 날도
일진의 바람에 사라지고
사랑의 수의(壽衣)는 사랑의 마지막 이별 !

애스트리아 여신(女神)은 말하지
천국의 기쁨을 구한다면
이 시련의 세상에서
속죄해야 한다고
그러면 사랑의 우아한 신전(神殿)에
참배하는 자는 사랑의 마지막 이별에
죄의 보상은 끝나는 거다 !

신(神)의 앞에 나아가는 자여
등불 밝게 타는 제단에
천인화(天人花)와 으름덩굴을
서로 휘감도록 하라
천인화(天人花)는 유례없는
청순한 기쁨의 상징
으름덩굴은 사랑의 마지막 이별의
꽃다발이구나 !

YOUTH FLIES

Youth flies, life decays, even hope is o'ercast;
No more with love's former devotion we sue:
He spreads his young wing, he retires with the blast;
The shroud of affection is love's last adieu!

In this life of probation for rapture divine,
Astrea declares that some penance is due;
From him who has worshipp'd at love's gentle shrine,
The atonement is ample in love's last adieu!

Who kneels to the god. on his altar of light
Must myrtle and cypress alternately strew:
His myrtle, an emblem of purest delight;
His cypress, the garland of love's last adieu!

* 「애스트리아 여신」은 고대 그리스 신화의 정의의 여신, 「천인화」는 사랑을 상징하는 관상용 상록 교목, 그리고 「으름덩굴」은 죽음을 상징하는 덩굴관목을 일컫는다.

이 별(離別)

사랑하는 여인이여!
나는 그대 입술이 자국한 입맞춤을
나의 입술에서 결코 놓치지 않겠네
이 선물 더럽히지 않고 다시금
그대 입술에 돌려줄
가장 행복한 때가 오기까지는.

상냥하게 빛나는 그대 이별(離別)의 눈길
그에 못지 않은 사랑의 눈길과 만나게 될 거야
그대 눈에서 흐르는 눈물도
나의 마음 변할 때 우는 일은 없겠네.

나는 혼자 있을 때 바라다보면서
나를 축복해 주는 사랑의 표시를 찾지 않을 거야
가슴에 품을 기념품 하나조차 찾지 않겠네
나의 가슴은 당신 가슴과 똑같은
생각에 넘쳐 있기 때문이지.

나는 글쓸 일도 없어――마음의 말을 하려면
붓은 점점 힘을 잃어가지
아! 마음조차 말할 수 없는 일을
공허한 말이 무슨 구실을 할 수 있으랴.

낮이나 밤이나, 기쁨에나 슬픔에도
이미 자유를 잃은 마음은
말할 수 없는 사랑을 품으며
그대 위하여 말없는 아픔을
참고 견디지 않을 수 없는 거야.

ON PARTING

The kiss, dear maid! thy lip has left
Shall never part from mine,
Till happier hours restore the gift
Untainted back to thine.

Thy parting glance, which fondly beams,
An equal love may see:
The tear that from thine eyelid streams
Can weep no change in me.

I ask no pledge to make me blest
In gazing when alone;
Nor one memorial for a breast,
Whose thoughts are all thine own.

Nor need I write—to tell the tale
My pen were doubly weak:
Oh! what can idle words avail,
Unless the heart could speak?

By day or night, in weal or woe,
That heart, no longer free.
Must bear the love it cannot show,
And silent ache for thee.

우리 서로 헤어졌을 때

우리 서로 헤어졌을 때
그날 그대와 나는 오랜 세월을
떨어져 살지 않으면 안 된다는 생각에
마음 쓰라려 소리도 없이 눈물지었네
당신의 뺨은 창백하고 차가웠어요
그대 입맞춤은 그 보다 더 싸늘했네
정녕 생각하면 이미 그때
오늘의 슬픔이 알려진 것이야.

그날 아침의 이슬은
내 이마를 적시는 아픔이었네
생각하면 그것도 오늘 내가 맛보는
슬픔의 경고(警告)였지
당신의 맹세 모두 깨어지고
남들은 그대를 변덕쟁이라 부르고 있지
남들이 당신을 말하는 것을 들으면
내 가슴은 부끄러움에 젖어요.

남들이 내 앞에서 당신의 이름을 부를 때
내 귀에는 조종(弔鐘)이 울려오고
나를 몸서리치게 하는구나
그대여 그다지도 사랑스러웠던 것은
무엇 때문이었으랴
당신을 너무도 잘 아는 이 나를

하지만 남들은 그대를 모르는 이라고 하지
아아, 그대를 후회하는 나의 슬픔은 끝이 없네
말로 다할 수 없는 이 슬픔 끝이 없다네.

둘이서만 남몰래 만났던 당신과 나——
하지만 지금 나는 호올로 말없는 슬픔에 잠기네
그대 마음이 망각(忘却)의 마음이었다는 것을
당신 영혼이 거짓의 영혼이었다는 것을
오랜 세월이, 세월이 지나서
그대와 다시 만나게 된다면
나는 어찌 그대를 맞이해야 할 것인가
다만 말없이 눈물만 흐를 뿐이지——.

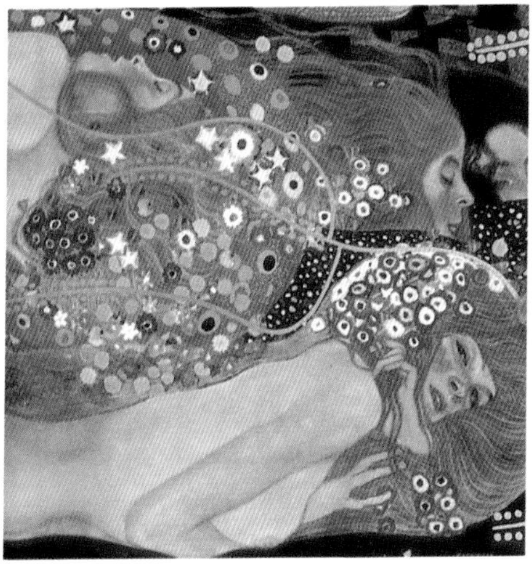

WHEN WE TWO PARTED

When we two parted
In silence and tears,
Half broken-hearted
To sever for years,
Pale grew thy cheek and cold,
Colder thy kiss:
Truly that hour foretold
Sorrow to this.

The dew of the morning
Sunk chill on my brow——
It felt like the warning
Of what I feel now.
Thy vows are all broken,
And light is thy fame:
I hear thy name spoken,
And share in its shame.

They name thee before me,
A knell to mine ear;
A shudder comes o'er me——
Why wert thou so dear?
They know not I knew thee,
Who knew thee too well:——
Long, long shall I rue thee,
Too deeply to tell.

In secret we met——
In silence I grieve,
That thy heart could forget,
Thy spirit deceive.
If I should meet thee
After long years,
How should I greet thee?——
With silence and tears.

우는 것을 보았어요

우는 것을 보았어요
——크게 반짝이는 눈물방울
그대 파란 눈에서
흘러내리는 것을
그때 나는 생각했어요
이슬에 젖은 제비꽃 그대로라고.
당신이 웃는 것을 보았어요
——사파이어 보석의 번쩍임도
당신 곁에서는 빛을 잃었어요
그대 눈길에 넘치는
살아서 번쩍이는 빛 앞에
보석빛도 견줄 것은 못 돼요.

I SAW THEE WEEP

I saw thee weep—the big bright tear
Came o'er that eye of blue;
And then methought it did appear
A violet dropping dew;
I saw thee smile—the sapphire's blaze
Beside thee ceased to shine;
It could not match the living rays
That fill'd that glance of thine.

Ⅱ. 그대여, 방황은 이제 그만…

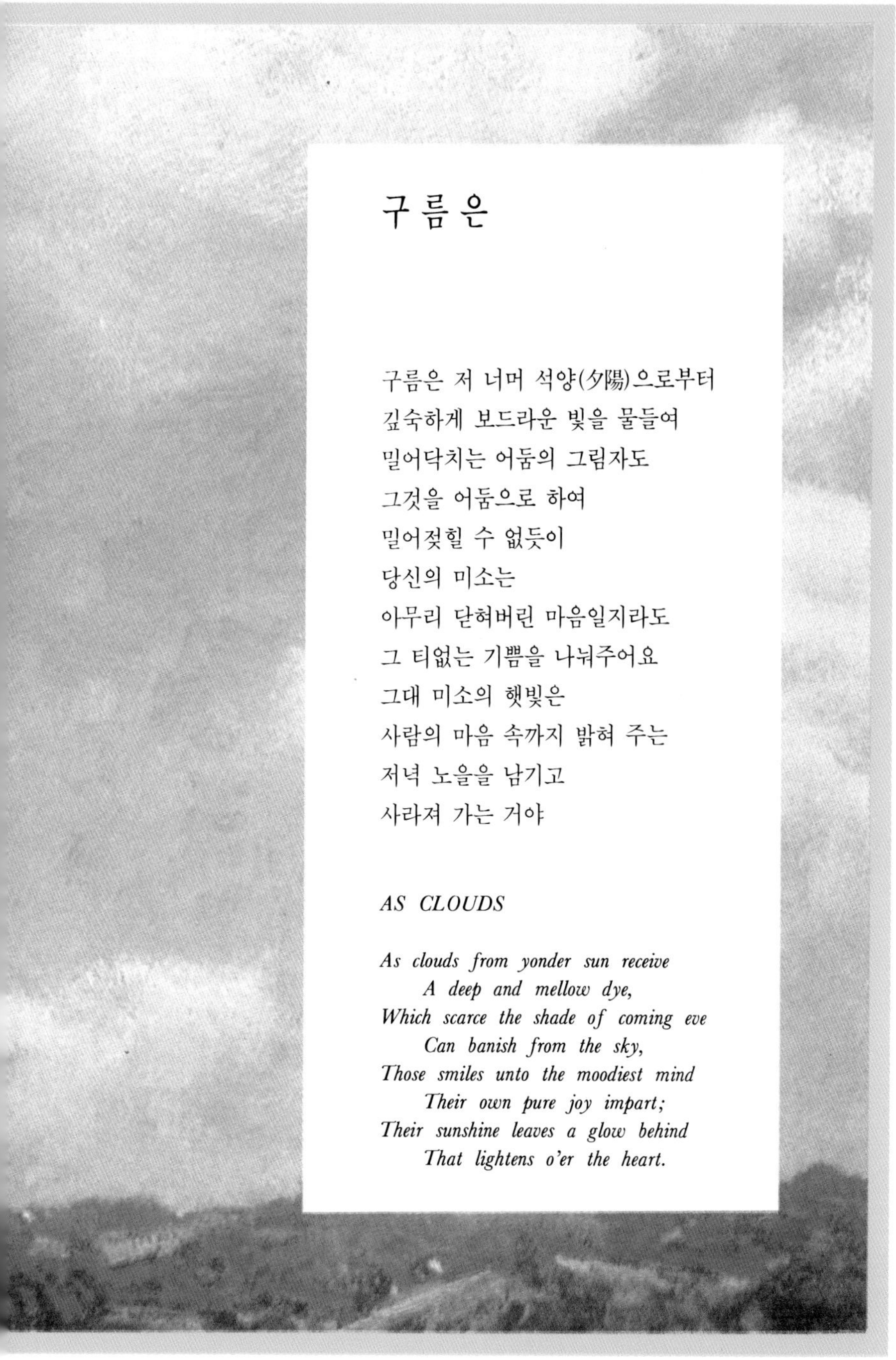

구름은

구름은 저 너머 석양(夕陽)으로부터
깊숙하게 보드라운 빛을 물들여
밀어닥치는 어둠의 그림자도
그것을 어둠으로 하여
밀어젖힐 수 없듯이
당신의 미소는
아무리 닫혀버린 마음일지라도
그 티없는 기쁨을 나눠주어요
그대 미소의 햇빛은
사람의 마음 속까지 밝혀 주는
저녁 노을을 남기고
사라져 가는 거야

AS CLOUDS

As clouds from yonder sun receive
A deep and mellow dye,
Which scarce the shade of coming eve
Can banish from the sky,
Those smiles unto the moodiest mind
Their own pure joy impart;
Their sunshine leaves a glow behind
That lightens o'er the heart.

자아, 방황은 이제 그만

1

자아, 방황은 이제 그만
밤도 이렇게 샜으니
마음은 아직 사랑에 불타고 있어도
달은 아직 밝게 비치고 있어도.

2

칼이 칼집을 약하게 하듯
영혼은 마음을 피곤하게 하기 때문에
마음도 한때 휴식을 시켜
사랑에도 휴식을 안겨주자.

3

밤은 사랑을 위해 만들어진 것
아침이 너무도 빠르게 돌아올지라도
방황은 이제 그만두자
달그림자 밟는 배회(徘徊)는——.

SO, WE'LL GO NO MORE A ROVING

I

So, we'll go no more a roving
So late into the night,
Though the heart be still as loving,
And the moon be still as bright.

II

For the sword outwears its sheath,
And the soul wears out the breast,
And the heart must pause to breathe,
And love itself have rest.

III

Though the night was made for loving,
And the day returns too soon,
Yet we'll go no more a roving
By the light of the moon.

몰타 섬에서 사진첩에 쓴 시

싸늘한 묘비(墓碑)에 새겨진 이름이
문득 지나는 사람의 마음 사로잡듯이
당신 혼자 이쪽(페이지)을 살필 때
애달픈 그대 눈에 내 이름이 머물러 주었으면!

내 이름이 그대로 하여 읽힐 때
——그 머나먼 어느 뒷날에도 없겠지
죽은 자에 대한 추억이 나를 그리워
내 마음 여기에 묻혀 있다고 생각하네.

LINES WRITTEN IN AN ALBUM, AT MALTA

As o'er the cold sepulchral stone
Some name arrests the passer-by;
Thus, when thou view'st this page alone,
May mine attract thy pensive eye!

And when by thee that name is read,
Perchance in some succeeding year,
Reflect on me as on the dead,
And think my heart is buried here.

*이 시의 사진첩은 바이런이 지중해의 몰타 섬에서 잠시 서로 사랑했던 3살 연상인 콘스탄스 스펜서 스미드 부인에 대한 것을 비유한다.

여자에게

여자여! 나는 경험에 의해 잘 알고 있어요
그대 바라다보는 이는 모두
당신을 사랑하지 않을 수 없다는 것을
경험은 어김없이 가르쳐 주었을 노릇
어떤 굳은 맹세도 끝내 소용없다는 것을
하지만 어여쁨에 싸여 있는 그대 바라볼 때면
모든 것 잊고 그대만 칭송하게 된다네
오 추억이여, 그대가 희망과 맺어 있을 때에는
정열을 고이 지니고 있을 때에는
더없는 축복이지만
그대로부터 희망이 사라지고 정열이 식어지면
모든 연인(戀人)은 그대를 저주하게 된다네
오 여자여! 우아하고도 아리따운 기만자
젊은이들은 또한 어찌하여
주저없이 여자를 믿는 것이랴!
눈부신 청자빛으로 반짝이는 눈동자며
칠흑으로 반짝이는 눈동자에
혹은 개암나무 빛깔의 눈썹 그늘에서
따사로운 빛을 던지는 눈동자를 처음 대할 때
그 얼마나 가슴 뛰는 것일까!
얼마나 재빠르게 온갖 맹세 믿어서
그 다짐 마음에서 우러나는 약속으로 듣고 말 것인가!

실로 어리석게도 여자의 맹세를
영원토록 변치 않는 것이라 기대한다는 것이랴
하지만 터무니없는 노릇이지 !
하루 만에 여자는 홀쩍 변하고 마는 것이야
자아, 여자에 대해 만고불변의 기록을 해 두자
「여자여, 그대는 모래 위에 맹세를 쓰는구나.」

TO WOMAN

Woman! experience might have told me
That all must love thee who behold thee:
Surely experience might have taught
Thy firmest promises are nought;
But, placed in all thy charms before me,
All I forget, but to adore thee.
Oh memory! thou choicest blessing
When join'd with hope, when still possessing;
But how much cursed by every lover
When hope is fled and passion's over.
Woman, that fair and fond deceiver,
How prompt are striplings to believe her!
How throbs the pulse when first we view
The eye that rolls in glossy blue,
Or sparkles black, or mildly throws
A beam from under hazel brows!
How quick we credit every oath,
And hear her plight the willing troth!
Fondly we hope 't will last for aye,
When, lo! she changes in a day.
This record will for ever stand,
"Woman, thy vows are traced in sand."

Prendergast

「사랑의 근본」이 무엇이었냐고 물었다면

「사랑의 근본!」
——아, 그런 비참한 질문을 어찌하여 나에게 던지나요
그대는 수많은 눈동자들 속에서
어김없이 가려낼 수 있어요
그대 바라볼 때
사랑의 생명이 출발하지 않던가요?
하지만 그대는 사랑의 마지막을 꼭 찾아내려 하는가요
내 마음은 이상한 예감으로 나를 두려움에 떨게 하네요
그대 사랑하는 사람은 오래도록
남모를 비탄에 빠지겠네요
하지만 내 삶이 끝날 때까지
——살아가게 될 거예요.

ON BEING ASKED WHAT WAS THE "ORIGIN OF LOVE"

The "Origin of Love!"—Ah, why
That cruel question ask of me,
When thou may'st read in many an eye
He starts to life on seeing thee?
And should'st thou seek his end to know:
My heart forebodes, my fears foresee,
He'll linger long in silent woe;
But live—until I cease to be.

캐롤라인에게

그대 뜨거운 사랑의 말을
어찌 내가 믿지 않는다 생각하겠는가
그대 입술 의심하는 마음을 빼앗고
그대 눈동자 속임 없는 빛 번뜩이네

하지만 사랑에 젖지 않는 마음 쓸쓸하고
어느 날엔가 사랑도 나뭇잎처럼 떨어지겠네
머지 않아 추억은 청춘을 그립게 하고
슬픔에 눈물지는 날 다가올 거야

빛나던 검은 머리도 빛을 잃고
가을 바람은 불어 나부끼고
따올린 머리에 바치는 은빛 머리카락 두어 개
사람 병들어 시들어 버릴 그 이치
밝혀 줄 날은 올 거야

그러면 내 얼굴에서
수심(愁心)은 사라지지 않고
한 번은 신(神)이 정한 운명을
내 문책할 까닭은 없어도
언젠가 죽음은 찾아와
그대를 내게서 빼앗겠구나

내 마음의 까닭을
그대여 바르게 알아주어요
나는 결코 그대를
내 마음에 의심치 않고
나는 그대 겨누는 모든 것
진심으로 우러르며
그대의 미소와 눈물에
나는 기쁨과 슬픔을 지니는 거야

하지만 그 어느 날엔가
죽음은 우리를 붙잡겠구나
사랑에 불타는 이 두 가슴을
무덤에 잠들면 다시 깨어나지 못하지
대지에 잠든 사자(死者)들을
나팔소리가 불러내기까지는——

오, 그러면 허락된 동안에
어찌 쾌락의 잔(盞)을 들지 않으랴
우리의 사랑과도 같이
정열에 불타 넘치는 이 술을
자아, 사랑에 축복받은 잔을
찰찰 넘치게 하라
신에게 바치는 술처럼
나는 그대와 그 잔을 마시겠네

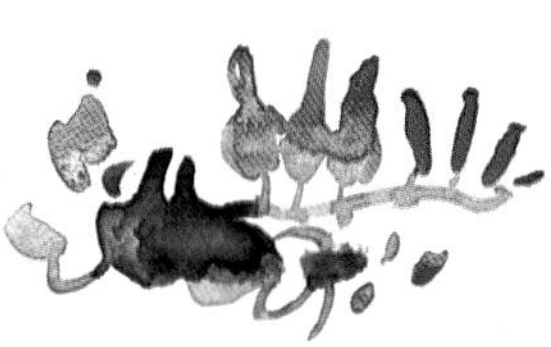

TO CAROLINE

When I hear you express an affection so warm,
Ne'er think, my beloved, that I do not believe;
For your lip would the soul of suspicion disarm,
And your eye beams a ray which can never deceive.

Yet still this fond bosom regrets, while adoring,
That love, like the leaf, must fall into the sere;
That age will come on, when remembrance, deploring,
Contemplates the scenes of her youth with a tear;

That the time must arrive, when, no longer retaining
Their auburn, those locks must wave thin to the breeze,
When a few silver hairs of those tresses remaining,
Prove nature a prey to decay and disease.

'Tis this, my beloved, which spreads gloom o'er my features,
Though I ne'er shall presume to arraign the decree
Which God has proclaim'd as the fate of his creatures,
In the death which one day will deprive you of me.

Mistake not, sweet sceptic, the cause of emotion,
No doubt can the mind of your lover invade;
He worships each look with such faithful devotion,
A smile can enchant, or a tear can dissuade.

But as death, my beloved, soon or late shall o'ertake us,
And our breasts, which alive with such sympathy glow,
Will sleep in the grave till the blast shall awake us,
When calling the dead, in earth's bosom laid low,——

Oh! then let us drain, while we may, draughts of pleasure,
Which from passion like ours may unceasingly flow;
Let us pass round the cup of love's bliss in full measure,
And quaff the contents as our nectar below.

＊캐롤라인은 후작의 귀족 가문에 태어난 미모의 여인
이다. 이 시는 1805년에 그녀를 위해서 쓴 작품.

오! 어여쁜 꽃으로 진 이여

오! 어여쁜 꽃으로 진 이여
그대 누운 곳에
무거운 묘석(墓石)을 짓누르지 않겠네
하지만 잔디 덮인 그대 위에 장미를 심어
해마다 가장 빠르게
봄이면 잎이 피게 하고
야생의 편백나무 가지는
엄숙하게 나부끼게 하겠네.

OH! SNATCH'D AWAY IN BEAUTY'S BLOOM

Oh! snatch'd away in beauty's bloom,
On thee shall press no ponderous tomb;
But on thy turf shall roses rear
Their leaves, the earliest of the year;
And the wild cypress wave in tender gloom:

때 로 는

때로는 저기
푸르게 흐르는 시냇물에
슬픔의 여신(女神) 찾아와 고개 숙여
갖가지 꿈으로
깊은 생각에 잠기게 한다네
그리하여 머뭇거리거나
발걸음 사뿐히 옮기게 한다네
상냥한 가련한 사람아!
그녀의 발길이 고이 잠든 그대를 깨울까봐서!

AND OFT

And oft by yon blue gushing stream
Shall Sorrow lean her drooping head,
And feed deep thought with many a dream,
And lingering pause and lightly tread;
Fond wretch! as if her step disturb'd the dead!

어여쁜 퀘이커교도(教徒) 아가씨에게

어여쁜 아가씨여! 우리는 단지 한 번 만났지마는
우리의 만남은 영원토록 잊을 수가 없어요
우리 다시 만날 날 없을지라도
내 추억은 그대 모습 잊을 수가 없어요
「당신을 사랑해요」하고 내가 말하지는 않으나
거센 감정은 의지와 맞싸워요
그대를 내 가슴 속에서 잊으려 하지만
오히려 당신 생각은 더 크게 솟구칠 뿐
터져오르는 탄식을 짓누르려 하지만
오히려 탄식은 솟아나올 뿐
모름지기 이것이 사랑은 아닐지 몰라도
우리의 만남을 결코 잊을 수는 없어요.

*바이런은 1809년에 영국 요크셔의 하로케이트에서 아름다운 퀘이커교도(教徒) 아가씨를 만나서 이 시를 쓰게 되었다.

TO A BEAUTIFUL QUAKER

Sweet girl! though only once we met,
That meeting I shall ne'er forget;
And though we ne'er may meet again,
Remembrance will thy form retain.
I would not say, "I love," but still
My senses struggle with my will:
In vain, to drive thee from my breast,
My thoughts are more and more represt;
In vain I check the rising sighs,
Another to the last replies:
Perhaps this is not love, but yet
Our meeting I can ne'er forget.

우리는 말이 없었지만

우리는 말이 없었지만
우리의 눈은 더욱 간절한 대화를 나누었어요
혀는 마음에도 없는 말을 하고
터무니없는 말을 했어요
죄진 입은 남을 속일 때 제대로 움직이나
마음의 명령에는 꼭 다문 채 벌어지지 않아요
하지만 영혼의 통역관인 눈은
그런 속박을 뿌리치고 속임수를 부끄럽게 여겨요
그리하여 우리의 눈길은 종종 이야기를 나누고
우리들 가슴은 마음 속 깊이까지 나누었어요
마음에는 그 어떤 가책받을 것도 없어요
양심이 우리를 이끌었기 때문이지요
서로의 눈과 눈이 말하는 것을 나는 자꾸 억눌렀으나
그것을 당신은 얼마쯤 알고 있는 것 같아요
왜냐하면 내가 줄곧 당신만을 생각하고 있으면
그대의 생각도 나에게 다가오고 있을 것 같아서
하지만 나는 당신만을 생각하고 싶어요
낮이나 밤이나 당신 모습이 나타나는 것이기에

WE NEVER SILENCE BROKE

What though we never silence broke,
Our eyes a sweeter language spoke;
The tongue in flattering falsehood deals,
And tells a tale it never feels:
Deceit the guilty lips impart,
And hush the mandates of the heart;
But soul's interpreters, the eyes,
Spurn such restraint, and scorn disguise.
As thus our glances oft conversed,
And all our bosoms felt rehearsed,
No spirit, from within, reproved us,
Say rather, " 't was the spirit moved us."
Though what they utter'd I repress,
Yet I conceive thou'lt partly guess;
For as on thee my memory ponders,
Perchance to me thine also wanders.
This for myself, at least, I'll say,
Thy form appears through night, through day;

잠깨어 있을 때

잠깨어 있을 때 내 생각이 당신 생각으로
가득 차는 것은
잠들고 있을 때 부질없는 꿈 속에서 그대 모습
미소짓는 것은
모두 내 탓에 불과하다기에
몽상(夢想)은 나를 멍청하게 만들어요
시간의 흐름을 잊게 하고 영원한 밤을 내게
소망하게 하는
기쁨의 잠을 깨웠다 하여
새벽빛을 나로 하여 저주하게 하는군요
오, 내 미래의 운명이 어찌될지라도
내 가는 길에 기쁨이 기다리고 있거나
슬픔이 기다리고 있거나
사랑에 유혹당할지라도
폭풍에 휩쓸리고 말지라도
그대 모습만은 영원히 잊을 수가 없어요.

AWAKE

Awake, with it my fancy teems;
In sleep, it smiles in fleeting dreams;
The vision charms the hours away,
And bids me curse Aurora's ray
For breaking slumbers of delight
Which make me wish for endless night.
Since, oh! whate'er my future fate,
Shall joy or woe my steps await,
Tempted by love, by storms beset,
Thine image I can ne'er forget.

Ⅲ. 사랑에 부치는 노래

두 번 다시

오, 두 번 다시 만나지는 못하겠구나
두 번 다시 눈길을 마주대지도 못하겠구나
그렇다면 내 가슴의 슬픔을 바쳐
이별의 기도를 올리게 해 주어요——
「신이여, 나의 사랑하는 퀘이커교도 아가씨를
지켜 주소서
그 아가씨가 고뇌에 몸부림치지 않도록
그 아가씨가 평화와 미덕을 저버리지 말도록
그 아가씨와 마음을 함께하는 이에게
항상 신의 은총을 베풀어 주소서!
오! 더없는 사랑의 연분으로 하여
그 아가씨와 맺어지는 운명의 행운의 사나이가
그 아가씨를 위하여 날로 새로운 기쁨을
이루게 하여 주소서
그 아가씨도 지아비에게
평생 변치 않을 사랑을 간직하게 하소서!
하지만 그 아가씨를 잊지 못하는 한 사나이가
지금도 부질없는 미련 속에 마음을 괴롭히며
멎지 않는 괴로움만을 맛보고 있다는 것을
저 어여쁜 아가씨의 가슴에 알리지는 마소서!」

AGAIN NO MORE

Alas! again no more we meet,
No more our former looks repeat;
Then let me breathe this parting prayer,
The dictate of my bosom's care:
"May Heaven so guard my lovely quaker,
That anguish never can o'ertake her;
That peace and virtue ne'er forsake her,
But bliss be aye her heart's partaker!
Oh! may the happy mortal, fated
To be, by dearest ties, related,
For her each hour new joys discover,
And lose the husband in the lover!
May that fair bosom never know
What 'tis to feel the restless woe
Which stings the soul, with vain regret,
Of him who never can forget!"

포 강(江)에 부치는 노래

강(江)이여
그대는 오랜 옛집 곁을 흘러가나
그 집에는 내 사랑하는 여인이 살고 있구나
그 여자는 그대 강기슭 걸어다니며
아련히 내 생각을
추억하고 있을지도 몰라.

그대 깊고 풍성한 흐름이
내 마음의 거울이라면
그 여인은 지금 내가
그대에게 쏟고 있는 수많은 생각들을
거기서 읽어낼 것이야
그대 물결처럼 거세고
그대 흐름처럼 한결같은 생각뿐이지만!

내가 그대를 지금
내 마음의 거울로 견주었다 할지라도
그대는 어둡고 거세고 무섭지
지금까지 나의, 그리고 지금의 내 감정이
실은 바로 그런 것이듯이
나 오랜 날 품어 온 정열은
지금의 바로 그대와 똑같은 것이야.

STANZAS TO THE PO

River, that rollest by the ancient walls,
Where dwells the lady of my love, when she
Walks by thy brink, and there perchance recalls
A faint and fleeting memory of me;

What if thy deep and ample stream should be
A mirror of my heart, where she may read
The thousand thoughts I now betray to thee,
Wild as thy wave, and headlong as thy speed!

What do I say—a mirror of my heart?
Are not thy waters sweeping, dark, and strong?
Such as my feelings were and are, thou art;
And such as thou art were my passions long.

*포 강(*Po*江)이란 이탈리아에서 가장 큰 강이다. 바이런이 1819년 베니스에서 생활하던 당시 테레사 구이치오리 백작부인과 사랑에 빠졌을 때 썼던 작품이다.

세 월 이

세월이 나의 정열을 얼마쯤 억눌러서
조용해진 것 같으나——
하지만 영 사라져 버린 것은 아니야
그대 강물은 범람하지만
영원히 넘칠 수만은 없는 것
거세게 뛰노는 가슴을 지닌 그대
어찌 그다지도 내 성품을 똑같이 닮았는가 !
그대 홍수 가라앉듯이
내 정열도 잠잠해졌구나
홍수의 숱한 손톱자국을 남기고는
지금 또다시 본래의 행로로 되돌아와
그 곳을 흘러가고 있구나
그대는 바다를 향하여
세찬 기세로 나아가고 있고
나는——사랑해서는 안 될 사람을 향해
나아가고 있구나.

TIME

Time may have somewhat tamed them, — not for ever;
Thou overflow'st thy banks, and not for aye
Thy bosom overboils, congenial river!
Thy floods subside, and mine have sunk away:
But left long wrecks behind, and now again,
Borne on our old unchanged career, we move:
Thou tendest wildly onwards to the main,
And I — to loving one I should not love.

물결은

내가 바라보고 있는 물결은
머지 않아 그 여자가 사는 집의
담벽 밑을 흘러내리고
그녀의 발 밑에서 출렁댈 거야
그녀는 그대 강물 바라보면서
여름 한낮의 더위에
상채기 받지 않은 저녁 노을의
시원한 대기를 마실테지.

그녀는 그대 바라보리라
——이런 생각이 마음에 넘쳐
나는 그대 바라본 것이야
그리하여 그때부터
그 여자에 대한 끊을 수 없는
그리움을 지니고
그대 강물을 꿈꾸며 노래하며
바라다볼 수 없게 되고 말았구나!

THE CURRENT

The current I behold will sweep beneath
Her native walls, and murmur at her feet;
Her eyes will look on thee, when she shall breathe
The twilight air, unharm'd by summer's heat.

She will look on thee,—I have look'd on thee,
Full of that thought: and, from that moment, ne'er
Thy waters could I dream of, name, or see
Without the inseparable sigh for her!

그녀의 빛나는 눈

그녀의 빛나는 눈은
그대 강물 흐르는 곳에
그 그림자를 비출 거야
그래! 그 여자의 눈은
내가 지금 바라보는
이 강물과 만나게 되리라
하지만 설령 꿈 속에서라도
그 행복한 강물은
밀물이 되어 내 눈 앞에
다시 되돌아오지는 못하겠구나!
내 눈물 실은 물결은
이제 다시 돌아오지 못하는 거다.

HER BRIGHT EYES

Her bright eyes will be imaged in thy stream,
Yes! they will meet the wave I gaze on now:
Mine cannot witness, even in a dream,
That happy wave repass me in its flow!
The wave that bears my tears returns no more:

그녀는 돌아와 주려나

그녀는 돌아와 주려나
이 강물 스치는 곳에 사는 그 여자는——
둘이는 그대 강둑 거닐고
둘이는 그대 기슭을 방황하는구나
나는 물 위를
그 여자는 짙푸른 바닷가를
하지만 우리 둘을 떼어놓고 있는 것은
벌어진 거리(距離)가 그게 아니야
깊은 물결도 아니고 큰 땅도 아니지
우리 둘이 태어난 고향이 저마다 다른 것처럼
서로 다른 운명의 변덕스러움이
우리 둘을 서로 갈라놓고 있는 것이야

WILL SHE RETURN

Will she return by whom that wave shall sweep?——
Both tread thy banks, both wander on thy shore,
I by thy source, she by the dark-blue deep.
But that which keepeth us apart is not
Distance, nor depth of wave, nor space of earth,
But the distraction of a various lot,
As various as the climates of our birth.

이방인(異邦人)

이 나라의 여인을 사랑하는 나는
산 너머 저 먼 곳에 태어난 이방인(異邦人)이지마는
몸 속에 흐르는 피는 순수한 남구(南歐)의 피
흡사 북해(北海)를 얼어붙게 하는
저 검은 바람 한 번도 쐰 일이 없듯이

나의 피는 순수한 남구(南歐)의 피야
그렇지 않았으면
제 나라를 떠나지 않았을 거야
그렇지 않았으면
무수히 잊을 수 없는 고통 맛보며
지금 다시 사랑의 노예는 되지 않았을 거야
적어도 당신의——

아무리 몸부림쳐도 부질없는 일
——나에게 젊은 죽음을 안겨줘요
나 지금까지 살아왔듯이 살며
사랑했듯이 사랑할 수밖에 없구나
흙으로 돌아간다 하여도
본래 흙으로 태어난 이 몸
흙으로 돌아간다면
적어도 이 마음은 더 시끄럽게 굴지는 않겠네

A STRANGER

A stranger loves the lady of the land,
Born far beyond the mountains, but his blood
Is all meridian, as if never fann'd
By the black wind that chills the polar flood.

My blood is all meridian; were it not,
I had not left my clime, nor should I be,
In spite of tortures ne'er to be forgot,
A slave again of love,—at least of thee.

'Tis vain to struggle—let me perish young——
Live as I lived, and love as I have loved;
To dust if I return, from dust I sprung,
And then, at least, my heart can ne'er be moved.

맑고 잔잔한 레만 호수여!

맑고 잔잔한 레만 호수여!
어찌 그대를 우리가 살아온
파란 많은 세상과 비길 수 있으랴
그 고요는 우리에게
거치른 이 세상의 파도를 내버리고
보다 더 맑은 샘이 되라고 일러 준다네
이 조용한 배의 돛은 살폿한 날개와도 같이
나를 파란의 바깥 세상으로 인도하는구나
내 지난날 사랑한 것은
폭풍의 바다의 외침에 불과한 것
이제 그대의 부드러운 속삭임은
내 누님의 정다운 목소리를 닮아서
상냥함을 깨달으니
나는 기쁘구나 이 나긋함이야말로
더없이 기쁘다네.

CLEAR, PLACID LEMAN!

Clear, placid Leman! thy contrasted lake,
With the wild world I dwelt in, is a thing
Which warns me, with its stillness, to forsake
Earth's troubled waters for a purer spring.
This quiet sail is as a noiseless wing
To waft me from distraction; once I loved
Torn ocean's roar, buy thy soft murmuring
Sounds sweet as if a Sister's voice reproved,
That I with stern delights should e'er have been so moved.

밤의 정적(靜寂)은

밤의 정적(靜寂)은 여기에 머물고
이미 저녁 어스름은
호수 기슭과 산 사이로 내려앉고
더구나 한결같이 맑고 잔잔하여
아름답고 포근하게 녹았으나 선명하구나
다만 그 높은 봉우리에
눈은 덮여 치솟았다네
주라 연봉(連峰)만은 거뭇거뭇하게 보이고
다가서면 호숫가에
피어나는 꽃의 짙은 향기
잔잔히 들리는 것은
물을 헤치고 떨어져가는
삿대질의 나지막한 소리와
귀뚜라미가 이제 잠시 밤을 보드랍게 스치는
소리구나.

THE HUSH OF NIGHT

It is the hush of night, and all between
Thy margin and the mountains, dusk, yet clear,
Mellow'd and mingling, yet distinctly seen,
Save darken'd Jura, whose capt heights appear
Precipitously steep; and drawing near,
There breathes a living fragrance from the shore,
Of flowers yet fresh with childhood; on the ear
Drops the light drip of the suspended oar,
Or chirps the grasshopper one good-night carol more;

밤의 향락자(享樂者)

귀뚜라미는 밤의 향락자(享樂者)이지
그의 생애를 어린 날의 기쁨으로 채워 마음껏 노래하네.
때마침 그 노래에 섞여
숲에서 이름모를 새소리 들리더니
다시금 씻은 듯 고요해지는구나
언덕 기슭에서 속삭이는 소리 들리는 듯했으나
그것은 다만 마음의 귀에 울리는 목소리
——별 그림자에 이슬은 흠뻑 젖어
남모르는 사랑의 눈물로 흘러내리고
그 한밤 지새도록 흐느껴 운 다음
자연은 가슴 깊은 곳에
풍요한 색채의 영혼을 불어넣는다네.

AN EVENING REVELLER

He is an evening reveller, who makes
His life an infancy, and sings his fill;
At intervals, some bird from out the brakes
Starts into voice a moment, then is still.
There seems a floating whisper on the hill,
But that is fancy, for the starlight dews
All silently their tears of love instil,
Weeping themselves away, till they infuse
Deep into nature's breast the spirit of her hues.

Ⅳ. 사랑―그 추억의 강(江)가에서

오, 별들이여 !

오, 하늘의 시(詩) 별들이여 !
그대들의 빛 번쩍이는 얼굴에서
이승의 우리가 스스로 운명과 국운(國運)을
읽으려 하는 것도
또한 바라건대 위대해지고 싶은 소망에 감싸여
스스로의 한계마저 초월하고
스스로의 미래마저 예언하며
스스로를 감히 그대와 견주려는 것을 용서해 주오
별이여 그대는 아름답고 신비하여라
아득한 하늘로부터
우리의 내부에 사랑과 경건함을 베푸는구나
하지만 운명과 명성과 권력과 생명——
모두를 「별」이라고 부를 수는 없다네.

YE STARS!

Ye stars! which are the poetry of heaven!
If in your bright leaves we would read the fate
Of men and empires,—'tis to be forgiven,
That in our aspirations to be great,
Our destinies o'erleap their mortal state,
And claim a kindred with you;for ye are
A beauty and a mystery, and create
In us such love and reverence from afar,
That fortune, fame, power, life, have named themselves a star.

하 늘 과

하늘과 땅 모든 것은 조용하여 소리가 없구나
하지만 그것은 잠들어 있는 것이 아니지
우리의 감정이 극(極)에 달했을 때
침을 꿀꺽 삼키는 것과도 같고
깊은 생각 속에 잠길 때
침묵에 빠져드는 것과도 같다네
하늘과 땅 모든 것은 조용하여 소리가 없구나
장공의 별들도 고요하고
조용한 호수며 산기슭 또한 고요하다네
온갖 것은 거세게 불타는 목숨의 한 점에 뭉치지
한 줄기 빛, 한 점의 바람, 한 잎 나뭇잎까지도
함부로 다룰 수 없는 것
아니 모든 것은 「존재」의 일부
온갖 것은 만물을 창조하여
지킬 것을 스스로 깨닫고 있다네.

ALL HEAVEN

All heaven and earth are still—though not in sleep,
But breathless, as we grow when feeling most;
And silent, as we stand in thoughts too deep:——
All heaven and earth are still: From the high host
Of stars, to the lull'd lake and mountaincoast,
All is concenter'd in a life intense,
Where not a beam, nor air, nor leaf is lost,
But hath a part of being, and a sense
Of that which is of all Creator and defence.

그리하여

그리하여 우리가 홀로 살 수 없는 세상에서
단지 홀로이 무한한 감정이
강렬하게 몸 안에서 솟아나고 있음을 깨닫네
그것은 우리의 존재를 꿰뚫어 융합하며
우리들 자아(自我)를 깨끗이 하는 진리
그것은 조화이며 음악의 영혼이고 근원이라네
영원한 조화를 깨닫게 하고
만물을 미(美)로 묶어 주는
전설의 키데리아(미의 여신 비너스)의 허리띠처럼
인간을 매혹하는 미를 풀어놓지 않고
이것이야말로 두려운 사신(死神)의 힘조차
빼앗고야 말게 된다네.

THEN

Then stirs the feeling infinite, so felt
In solitude, where we are least alone;
A truth, which through our being then doth melt,
And purifies from self: it is a tone,
The soul and source of music, which makes known
Eternal harmony, and sheds a charm
Like to the fabled Cytherea's zone,
Binding all things with beauty;—'t would disarm
The spectre Death, had he substantial power to harm.

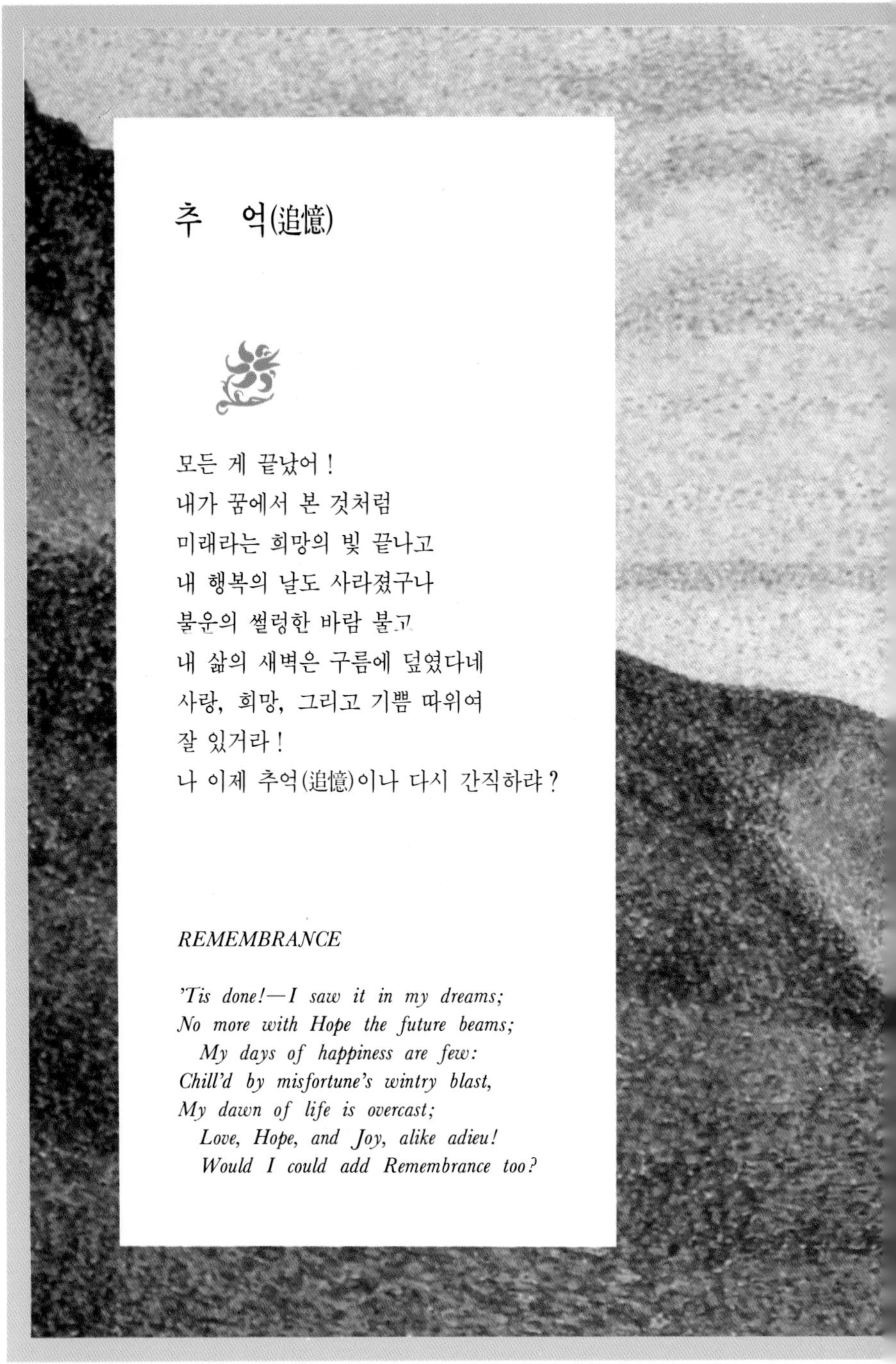

추　억(追憶)

모든 게 끝났어 !
내가 꿈에서 본 것처럼
미래라는 희망의 빛 끝나고
내 행복의 날도 사라졌구나
불운의 썰렁한 바람 불고
내 삶의 새벽은 구름에 덮였다네
사랑, 희망, 그리고 기쁨 따위여
잘 있거라 !
나 이제 추억(追憶)이나 다시 간직하랴 ?

REMEMBRANCE

'Tis done!—I saw it in my dreams;
No more with Hope the future beams;
My days of happiness are few:
Chill'd by misfortune's wintry blast,
My dawn of life is overcast;
Love, Hope, and Joy, alike adieu!
Would I could add Remembrance too?

그 여인의 걸음새는 어여쁘고

그 여인의 걸음새는 어여쁘고
구름 없는 나라의 별빛 빛나는 하늘의 밤 같아요
어두운 것, 번쩍이는 것의 으뜸이
저 모습, 저 눈동자에 모여들고 있어요
눈부신 낮에는 꺼져서 보이지 않는
그날 밤의 부드러운 빛에
온갖 것 달콤하게 녹아들고 있네요.

SHE WALKS IN BEAUTY

She walks in beauty, like the night
Of cloudless climes and starry skies;
And all that's best of dark and bright
Meet in her aspect and her eyes:
Thus mellow'd to that tender light
Which heaven to gaudy day denies.

*그 여인이란 월모트 부인으로서, 그녀가 금은장식을 붙인 상복(喪服)을 입고 무도회에 온 모습을 보고 바이런이 시를 지어 노래한 것.

그림자 하나 보이더라도

그림자 하나 보이더라도
빛을 하나 떼어 버리더라도
그 이름 지울 수 없는 우아함은
도중에 사라져 버리고 말 거야
그 검은 머리에 너울대고
그 얼굴에 조용히 번쩍이는 우아함은
그 얼굴에 상냥한 생각 조용히 넘치고 있네
그 얼마나 맑고 그 얼마나 사랑스러운
상냥한 마음이 머무는 곳일런가.

ONE SHADE THE MORE

One shade the more, one ray the less,
Had half impair'd the nameless grace
Which waves in every raven tress,
Or softly lightens o'er her face;
Where thoughts serenely sweet express
How pure, how dear their dwelling-place.

그　뺨

더없이 보드랍고 조용하고 말 잘하는
그 뺨 그 이마
매혹에 넘치는 미소와 살갗 윤기는
단정하게 살아온 지난날들이며
현실에도 흔들림 없는 정신이며
더럽힘 없는 사랑을 지닌 마음을
오로지 한결같이 말해 주고 있어요.

ON THAT CHEEK

And on that cheek, and o'er that brow,
So soft, so calm, yet eloquent,
The smiles that win, the tints that glow,
But tell of days in goodness spent,
A mind at peace with all below,
A heart whose love is innocent!

강(江)가에서

우리는 바벨 강(江)가에 앉아서 울었어요
그리고 그날을 생각했지요
우리의 적이 살륙(殺戮)의 큰 외침으로
목소리가 쉬고
살렘의 성스러운 땅을
먹이로 삼았던 날의 일을
오, 매맞고 버려진
살렘의 아가씨들이여 !
그대들은 흐느껴 울면서
멀리멀리 흩어져 버렸구나.

BY THE RIVERS

We sat down and wept by the waters
Of Babel, and thought of the day
When our foe, in the hue of his slaughters,
Made Salem's high places his prey;
And ye, oh her desolate daughters!
Were scatter'd all weeping away.

*바벨 강(江)은 바빌론 강(江)의 별칭.

슬픔에 젖어

우리가 슬픔에 젖어
도도한 강물의 자유로운 흐름을
바라보고 있을 때
우리의 적은 노래를 청했지
그러나 아,
승리의 노래를
외국인에게 들려줄 수는 없도다!
고귀한 비파(琵琶)를
적을 위해 연주하기 전에
영원히 이 오른 손은
시들어 버리고 말 것이야!

WHILE SADLY

While sadly we gazed on the river
Which roll'd on in freedom below,
They demanded the song; but, oh never
That triumph the stranger shall know!
May this right hand be wither'd for ever,
Ere it string our high harp for the foe!

버드나무 가지에

버드나무 가지에
비파(琵琶)는 매달려 있구나
오, 살렘이여
잡혀 있는 비파(琵琶)의 가락을 뜯지 말라
그대가 영광을 잃어버린 날에
그대는 나에게 약속의 말을 남겼지——
비파(琵琶)의 부드러운 가락에
약탈자의 노래가 실리는 것을
네 귀에 들려주지 않으리라고.

ON THE WILLOW

On the willow that harp is suspended,
Oh Salem! its sound should be free;
And the hour when thy glories were ended
But left me that token of thee:
And ne'er shall its soft tones be blended
With the voice of the spoiler by me!

애드리안 영전(靈前)에의 고별사

아! 의젓하고도 덧없이
떠나가는 영혼이여
친구여 이 몸과 함께 지냈는데!
어이하여 그 어느 곳 누구도 모르는 데로
그대는 멀리멀리 날아가는가?
즐겁게 웃어대던 익살도 사라져 버렸구나
다만 창백하고 기쁨 없는 그런 슬픔 뿐이라니.

ADRIAN'S ADDRESS TO HIS SOUL WHEN DYING

Ah! gentle, fleeting, wav'ring sprite,
Friend and associate of this clay!
To what unknown region borne,
Wilt thou now wing thy distant flight?
No more with wonted humour gay,
But pallid, cheerless, and forlorn.

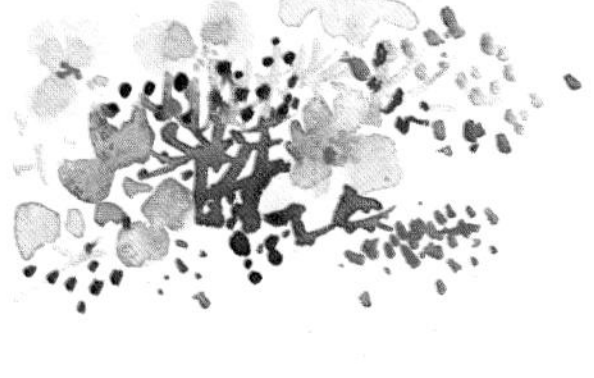

V. 그대 영혼의 기슭 가까이

라인 강기슭에서

옛성(城)을 이고 있는 드라헨펠스의
그 험준한 벼랑이 넘실넘실 흐르는
넓은 라인 강을 위압하고 있구나
철철 넘치는 강물의 가슴은
포도알을 영글게 해 주는 것이야
양쪽 강기슭 사이에
마음껏 부풀어
꽃핀 나무들 풍요하게
번성하는 언덕이며
보리랑 포도의 추수를
약속해 주는 밭이며
그것들을 꾸며주듯 점점이
흩어져 있는 마을들이며
멀리서 하얀 집들마다
벽들이 눈부시게 번쩍이는 모습이랑
그것들은 한결같이
한 폭의 그림을 보는 것 같구나
오, 당신이 나와 함께 있다면
우리는 두 곱의 기쁨으로
그 광경을 지켜볼 수 있건만.

BY THE RHINE

The castled crag of Drachenfels
Frowns o'er the wide and winding Rhine,
Whose breast of waters broadly swells
Between the banks which bear the vine,
And hills all rich with blossom'd trees,
And fields which promise corn and wine,
And scatter'd cities crowning these,
Whose far white walls along them shine,
Have strew'd a scene, which I should see
With double joy wert thou with me.

짙푸른 눈을 가진

짙푸른 눈을 가진
농가(農家)의 아가씨들
손에 손에 일찍 핀 꽃을 들고
생긋생긋 웃으며
이 낙원을 걷고 있네
위쪽을 바라보면 푸른 잎 덮인
중세(中世)의 옛탑이
흐려진 회색벽으로
솟구쳐 있는 게 보이고
험준하게 솟이 있는 수많은 바위
무너져 내려도 위엄을 잃지 않을
고귀한 옛성의 활 모양의 성문(城門)
그것들은 포도넝쿨 무성한
평지를 굽어보고 있구나
하지만 이 라인 강기슭에서
빠져 있는 게 있다네
그것은 내가 손에 꼭 쥐어야만 할
당신의 보드라운 손이여!

WITH DEEP BLUE EYES

And peasant girls, with deep blue eyes,
And hands which offer early flowers,
Walk smiling o'er this paradise;
Above, the frequent feudal towers
Through green leaves lift their walls of gray;
And many a rock which steeply lowers,
And noble arch in proud decay,
Look o'er this vale of vintage-bowers;
But one thing want these banks of Rhine,——
Thy gentle hand to clasp in mine!

백합(百合)꽃을

나 여기서 딴 백합꽃을
당신에게 보내요
비록 그대 손에 닿기 전에
시들게 틀림없을지라도
시들었어도 소용없다는 말 해서는 안돼요
왜냐하면 나에게는
이 꽃이 당신 눈에 보이기 때문이지
그리하여 그대 곁에서
이 꽃이 고개 숙인 것을 당신은 보고
이 꽃은 라인 강기슭에서 딴 꽃이야
그리고 내 마음으로부터 당신에게
선물로 보낸 거라고 그대가 여겨줄 때
이 꽃은 멀리 라인 강기슭의
나의 영혼 머무는 곳으로 그대 영혼을 날라다 주어요
그런 생각에 이 꽃을
나는 매우 소중히 여긴다오 !

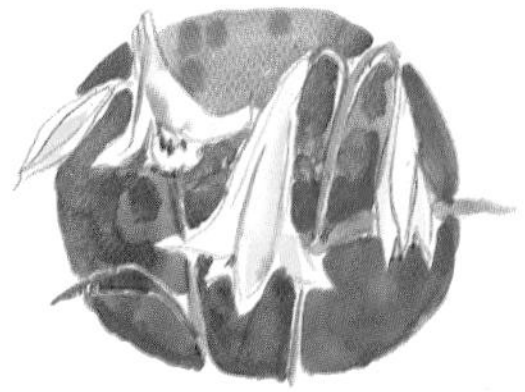

THE LILIES

I send the lilies given to me;
Though long before thy hand they touch,
I know that they must wither'd be,
But yet reject them not as such;
For I have cherish'd them as dear,
Because they yet may meet thine eye,
And guide thy soul to mine even here,
When thou behold'st them drooping nigh,
And know'st them gather'd by the Rhine,
And offer'd from my heart to thine!

강물은 의젓하게

강물은 의젓하게 물결치며 흐르고 있어요
라인 강이야말로
더없이 멋진 선경(仙境)의
가장 큰 매력이어요
수천 번을 헤일 수 없이 굽이칠 때마다
먼저보다 더욱 신선한
아름다움의 변화를 보여주어요
아무리 훌륭한 곳을 들렀어도
여기서 생애를 즐거이 지낸다면 만족할 거예요
자연의 여신이거나 나에게나
여기보다 더 좋은 곳은
이 세상 그 어디고 없을 거예요
하지만 그대 그리운 그 눈동자
내 눈동자를 따라서
이 광경을 바라보고 있다면
라인 강기슭은 더욱더 아름다울 것이지만!

THE RIVER NOBLY

The river nobly foams and flows,
The charm of this enchanted ground,
And all its thousand turns disclose
Some fresher beauty varying round:
The haughtiest breast its wish might bound
Through life to dwell delighted here;
Nor could on earth a spot be found
To nature and to me so dear,
Could thy dear eyes in following mine
Still sweeten more these banks of Rhine!

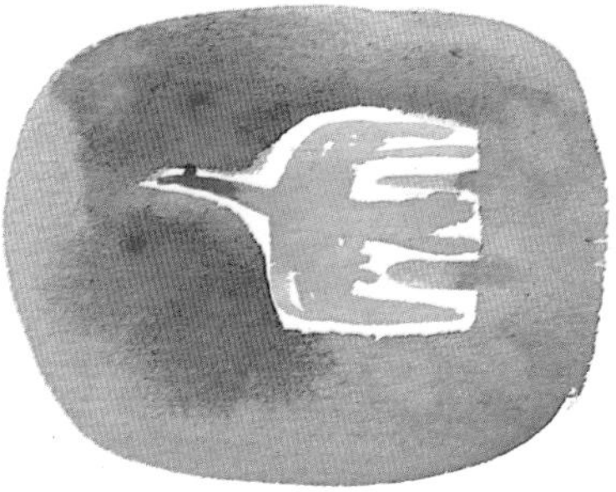

라오콘의 고통

방향을 때로 바티칸으로 돌려
라오콘의 고문이 고통에 위엄을 주는 것
찾아가서 보겠네
한 아비의 사랑, 한 사람의 고뇌
신(神)의 인내와 함께 어우러지는 모습
그 몸부림 헛될 것인가
움켜쥐고 용(龍)이 더욱 바짝 죄는 힘
그 늙은이는 이를 악물고
용의 독기어린 기다란 사슬
인간을 산채로 묶어 놓는구나
큰 독사는 고통에 고통을 숨막히게
더욱 숨막히게 안겨주고 있다네.

LAOCOON'S TORTURE

Or. turning to the Vatican, go see
Laocoön's torture dignifying pain——
A father's love and mortal's agony
With an immortal's patience blending : Vain
The struggle ; vain, against the coiling strain
And gripe, and deepening of the dragon's grasp,
The old man's clench ; the long envenom'd chain
Rivets the living links,— the enormous asp
Enforces pang on pang, and stifles gasp on gasp.

*라오콘 *(LAOCOON)* : 그리스 신화 중의 트로야의 왕자이며 아폴로 신전의 사제(司祭). 트로야 함락 때 두 아들과 함께 두 마리 큰 뱀에 의해 교살되었다. 라오콘의 임종 때 고민을 나타낸 대리석상이 바티칸 궁전에 소장되어 있다.

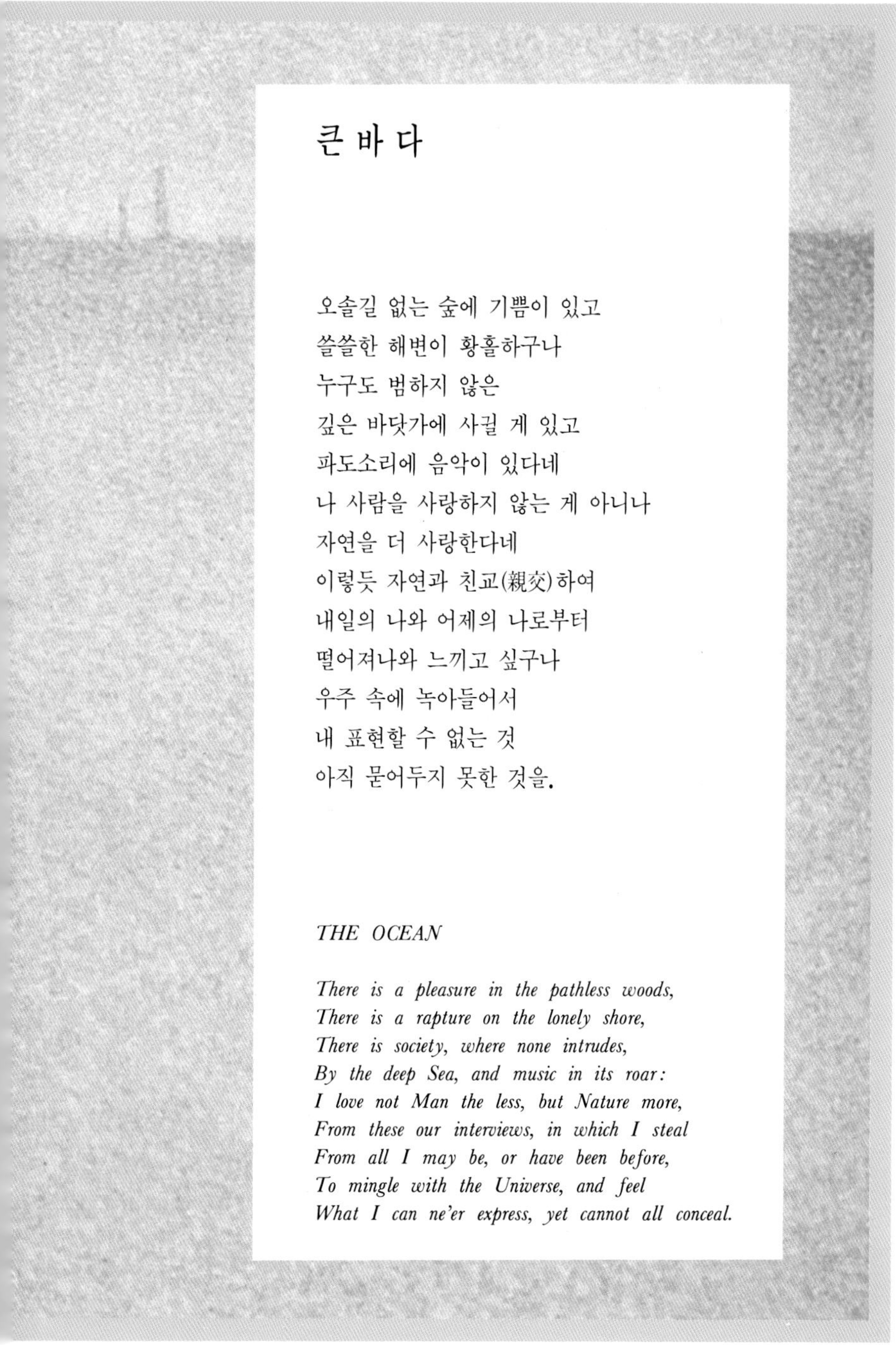

큰 바다

오솔길 없는 숲에 기쁨이 있고
쓸쓸한 해변이 황홀하구나
누구도 범하지 않은
깊은 바닷가에 사귈 게 있고
파도소리에 음악이 있다네
나 사람을 사랑하지 않는 게 아니나
자연을 더 사랑한다네
이렇듯 자연과 친교(親交)하여
내일의 나와 어제의 나로부터
떨어져나와 느끼고 싶구나
우주 속에 녹아들어서
내 표현할 수 없는 것
아직 묻어두지 못한 것을.

THE OCEAN

There is a pleasure in the pathless woods,
There is a rapture on the lonely shore,
There is society, where none intrudes,
By the deep Sea, and music in its roar:
I love not Man the less, but Nature more,
From these our interviews, in which I steal
From all I may be, or have been before,
To mingle with the Universe, and feel
What I can ne'er express, yet cannot all conceal.

발 자 국

인간의 발자국은
그대 바닷길에 찍히지 않네
——그대 해원(海原)은
인간에게 약탈되지 못하지
당신은 솟구쳐 일어서서
인간을 휩쓸어 버린다네
인간이 땅을 파괴하려 휘두른
그 모든 힘을 그대는 멸시(蔑視)하고
당신 가슴에 매달리는 인간을
드높은 하늘로 걷어차
그대 희롱하던 물결로 휘말아
몸서리쳐 절규(絕叫)하는 인간을
그들의 신(神)에게 넘겨주는구나
다행히도 가까운 곳에 항구나 뚝이 있어
애달픈 소망이 이루어질 때
그대는 인간을 육지로 던져올려
——거기 인간을 눕혀 주는구나.

STEPS

His steps are not upon thy paths,— thy fields
Are not a spoil for him,— thou dost arise
And shake him from thee; the vile strength he wields
For earth's destruction thou dost all despise,
Spurning him from thy bosom to the skies,
And send'st him, shivering in thy playful spray
And howling, to his Gods, where haply lies
His petty hope in some near port or bay,
And dashest him again to earth:— there let him lay.

바위를 깎아 세운 도시

바위를 깎아 세운 도시의 성벽을
깜짝 놀라게 공격하는 함포(艦砲)
그 나라 사람들을 두렵게 하고
제왕들을 도성에서 떨게 하고
참나무 큰 배는 거대한 늑재(肋材)를 만든
티끌 같은 인간에게 바다의 왕자
전쟁 심판자라는 허황된 칭호를 부여하네
하지만 함포나 큰 배도 그대에겐 노리갯감
휘날리는 눈송이처럼 거품의 파도 속에 녹아들지
파도는 무적함대의 자랑도
트라팔가의 전리품도 모두 다 깨뜨려 버리고 마는 것.

ROCK-BUILT CITIES

The armaments which thunderstrike the walls
Of rock-built cities, bidding nations quake,
And monarchs tremble in their capitals,
The oak leviathans, whose huge ribs make
Their clay creator the vain title take.
Of lord of thee, and arbiter of war——
These are thy toys, and, as the snowy flake,
They melt into thy yeast of waves, which mar
Alike the Armada's pride or spoils of Trafalgar.

*트라팔가 해전(海戰)에서 「무적함대」라고 떠벌리던 프랑스와 스페인의 연합함대는 영국의 넬슨 함대에게 대패했다.

그대 기슭

그대 기슭의 제국(帝國)들
모두는 멸망하고 그대만이 남았구나
——앗시리아, 그리스, 로마, 카르타고
그들 나라란 무엇이었더냐?
그 나라들 자유로울 때
바다는 그들에게 힘을 주었고
그리하여 수많은 전제군주를 낳게 했구나.
그 나라들 해안(海岸)은 이방인, 노예
또한 야만족들에게 굴복당했다네
그 나라들 쇠퇴했을 때 국토는 메말라 사막이 되었지
——하지만 그대만은 아니야
그대에겐 변함없는 사나운 파도만 넘실대고
시간조차 그대 푸른 이마에 주름살 긋지는 못해
태초(太初)의 첫새벽 동틀 때 그 모습 그대로
그대 물결은 지금도 거세게 굽이치고 있구나.

THY SHORES

Thy shores are empires, changed in all save thee——
Assyria, Greece, Rome, Carthage, what are they?
Thy waters wash'd them power while they were free,
And many a tyrant since; their shores obey
The stranger, slave, or savage; their decay
Has dried up realms to deserts:— not so thou;——
Unchangeable, save to thy wild waves' play,
Time writes no wrinkle on thine azure brow:
Such as creation's dawn beheld, thou rollest now.

그대 빛나는 거울이여

그대 빛나는 거울이여
그대 거울에 전능한 신(神)의 모습 폭풍우로 비치고
그 언제나——평온한 날에나
파도 거세게 이는 날에도
——산들바람, 질풍 혹은 폭풍 때도
또는 극양(極洋)을 얼게 만들고
불타는 열대에 검푸르게 굽이치며——
무한히 넓고 끝도 없이 장엄하게
영원의 상(像)——보이지 않는 이의 왕좌(王座)
그대 위에서 비치는구나
그대 진흙 바닥에서 심해(深海)의 괴이(怪異) 나타나네
이 세상 모든 곳 또한 그대 명령에 복종하지——
그대는 전진하는구나, 무섭게 위압하며
그 속 살필 수 없게, 또한 혼자만이.

THOU GLORIOUS MIRROR

Thou glorious mirror, where the Almighty's form
Glasses itself in tempests; in all time,——
Calm or convulsed, in breeze, or gale, or storm,
Icing the pole, or in the torrid clime
Dark-heaving—boundless, endless, and sublime,
The image of eternity, the throne
Of the Invisible; even from out thy slime
The monsters of the deep are made; each zone
Obeys thee; thou goest forth, dread, fathomless, alone.

그래서 나는

그래서 나는 당신을 사랑했네
큰 바다! 내 젊은 날의 환희는
나 그대 가슴에 안겨 그대 물거품처럼
넘실대는 희롱이었다네
그대 부서지는 파도 속에 나 어린 날부터 뛰어 놀았지
나에게 파도는 기쁨이었네
그러기에 상쾌한 바다에 거센 물결 밀어닥쳐도
——그것은 기쁨의 공포였다네
그러기에 나 당신의 아들
그대 큰 물결 속에 멀리 또는 가까이 떠돌고
그대 파도 머리에 출렁이는 갈기를
내 손바닥으로 쓰다듬었지
——지금 나 여기에서처럼

AND I

And I have loved thee, Ocean! and my joy
Of youthful sports was on thy breast to be
Borne, like thy bubbles, onward: from a boy
I wanton'd with thy breakers—they to me
Were a delight; and if the freshening sea
Made them a terror—'t was a pleasing fear,
For I was as it were a child of thee,
And trusted to thy billows far and near,
And laid my hand upon thy mane—as I do here.

로　마

오, 로마여!
나의 조국!
영혼의 도시여!
마음 헐벗은 이들은
멸망한 제국(帝國)들의
외로운 어머니 품에 돌아가
닫혀진 숨결 속에서 자그만 고뇌를 풀어야만 하리
우리의 비애와 고통은 무엇인가?
여기 와 보아라, 편백나무들을
들으라, 부엉이 소리를
밟고 다녀 보아라, 깨어진 보좌와 신전들을
그대들의 고뇌는 하루의 죄악
우리들 발 밑에는 하나의 세계가
우리의 진흙처럼 덧없이 깔려 있구나.

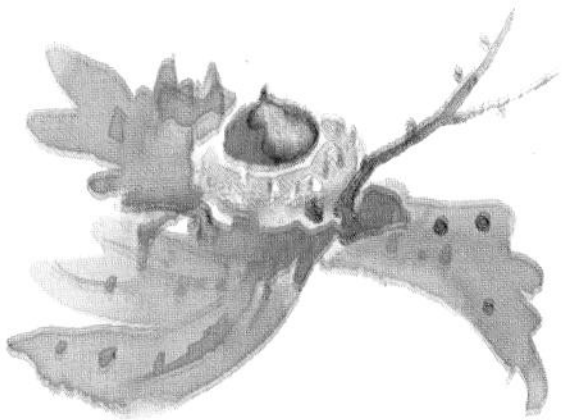

ROME

Oh Rome! my country! city of the soul!
The orphans of the heart must turn to thee,
Lone mother of dead empires! and control
In their shut breasts their petty misery.
What are our woes and sufferance? Come and see
The cypress, hear the owl, and plod your way
O'er steps of broken thrones and temples, Ye!
Whose agonies are evils of a day——
A world is at our feet as fragile as our clay.

니오베

여러 나라의 니오베여!
자식도 없이 왕관도 없이
목소리마저 잃고 비탄 속에 그녀는 서 있구나
깡마른 손에는 텅 빈 뼈항아리
거기 담겼던 성자(聖者)의 재는
아득한 옛날에 흩어져 버렸다네
스키피오가(家) 무덤 속에는
이제 재도 남아 있지 않고
영웅호걸 잠들었던 무덤
그 주인 잃고 누워 있구나
오랜 날의 티베르 강이여!
그대 대리석 폐허 속에 흐르고 있는가?
그대 누런 물결로 일어서 다오
그리하여 그녀의 고뇌를 덮어 다오.

THE NIOBE

The Niobe of nations! there she stands,
Childless and crownless, in her voiceless woe;
An empty urn within her wither'd hands,
Whose holy dust was scatter'd long ago;
The Scipios' tomb contains no ashes now;
The very sepulchres lie tenantless
Of their heroic dwellers: dost thou flow,
Old Tiber! through a marble wilderness?
Rise, with thy yellow waves, and mantle her distress.

*니오베 (*NIOBE*)는 그리스 신화에 등장하는 여자로서 자고 있던 14명의 아이들을 피살하고 제우스 신에 의해서 돌로 변신하게 된 여자. 원문 제1행의 *she* 와 마지막 행의 *her* 는 모두 로마를 비유해서 지칭하는 인칭 대명사.

영국 낭만주의 시인의 대표 시인

——바이런의 시세계(詩世界)——

홍 윤 기
(시인·한국문협 이사)

바이런 *(Byron, George Gordon, Lord* 1788 ~ 1824)은 영국의 낭만주의 시인을 대표하는 시인으로 평가되어 온다. 그의 시재(詩才)는 천재 그것이고 그의 시어(詩語)는 풍성하고 그의 격정(激情)은 분방하였기에 낭만주의에 걸맞는 한 대시인으로 영국의 시단을 뒤흔들고야 만다.

영문학 특히 영시(英詩)를 공부하거나 이해하는 과정에서 바이런의 시편들은 꼭 살펴보아야 한다고 본다.

바이런은 불과 36세라는 젊은 나이에 세상을 떠났으나 그는 12세 때부터 시를 쓰기 시작했다고 본인이 술회했다. 따라서 그의 시작(詩作) 기간은 24년을 헤아리게 된다.

"어느 날 아침에 눈을 떠보니 내가 유명해져 있었다(*I awoke one morning and found myself famous*)"고 하는 그의 말처럼 그를 유명하게 만든 것은 장시(長詩) 「차일드 해럴드의 순례 *(Childe Harold's Pilgrimage)*」(1812 ~ 1818)이다.

이 시집 「차일드 해럴드의 순례」는 전부 4권으로 된 방대한 것으로서 제1권과 제2권은 1812년에 나왔고, 제3권은 1816년에, 제4권은 1818년에 간행되었다.

특히 이 시집 「차일드 해럴드의 순례」에서는 바이런이 그 자신의 시대(時代)에서 일궈 낸 '바이런적 인물(人物 : *Byronic hero*)'의 성향이 두드러지게 나타나 있기도 하다. 자유 분방하면서도 우울하며, 정열적이면서도 고독·냉소·반항적인 성격의 전형(典型)인 '바이런적 인물'은 그의 낭만적인 시편에 그대로 반영되고 있음은 물론 오늘날의 문학작품의 모태가 되고 있다.

이 장시야말로 그가 근동(近東)지역을 여행한 것과 유럽여행을 통해 여행기(旅行記)식으로 엮은 것으로서 여기에 그 중요한 작품들을 이 시집에서 발췌해 부분적으로 넣었다.

이 시집을 번역하는 데에는 영국에서 간행된 「*The Poetical works of Lord Byron*」(*ed. by Ernest Hartley Colerige, John Murray, London*)과 「*The Complete Poetical Works of Lord Byron*」(*ed. by Paul Elme More, Cambridge Edition*) 등을 저본으로 삼았으며, 바이런의 시에 있어서 비교적으로 중요한 시와 또한 그의 특징적인 사랑의 시편들을 되도록 많이 넣도록 해 보았다.

바이런은 영국의 명문 귀족가문에서 태어났다. 얼굴이 잘 생긴 반면에 그는 불행하게 다리를 절었다.

설상가상으로 그의 아버지는 매우 방탕하고 광포한 주정뱅이였다. 그래서 가산을 탕진하는 등 '미치광이 재크'라는 별칭으로 불리우기도 한 악명 높은 인간이었다. 그는 빚더미 속에서 아내가 죽자 스코틀랜드 귀족의 딸과 재혼한다. 이 스코틀랜드 귀족의 딸과 '미치광이 재크' 사이에서 태어난 아이가 바로 바이런이다. 바이런의 생부는 어머니가 시집올 때 가지고 온 지참금까지 순식간에 탕진하고, 이번에는 처자도 내버리고 프랑스로 방탕한 여행길을 떠난다. 그런 생활 속에서 '미치광이 재크'는 끝내 객사하고 만다.

불행한 그 젊은 아내는 어린 바이런을 데리고 고향인 스코틀랜드의 고원지대 아바딘으로 가서 친정에 얹혀 살게 된다. 이 시기에 소년 바이런은 고원지대에서 나이 10세 때까지 살게 된다. 벌써 이 시기에 소년은 시를 습작하기 시작하고 소녀들과 사귀는 조숙한 모습을 보이게 되는 것이다.

소년 바이런은 10세 때 백부의 뒤를 이어서 제6대 바이런 경의 작위를 이어받게 된다. 이때부터 바이런 소년의 부유한 생활이 시작된다. 바이런 경이 된 소년은 어머니와 함께 영국 런던으로 돌아와서 귀족들의 자제들만 다니는 명문 학교인 '해로우 스쿨 (*Harrow School*)'에 입학하게 된다. 이제 바이런 소년은 활달하고 유복한 소년으로 공부하면서 타고난 시재(詩才)를 발휘하는 가운데 역시 명문 대학에 입학하게 된다. 즉 그는 케임브리지 대학에 진학하여 그 곳에서 역사와 문학을 전공하게 되는 것이다.

케임브리지 대학에 다니는 중에 펴낸 것이 바이런의 처녀시집 「한일월(閑日月—*Hours of Idleness*)」이다. 그러나 이 시집은 평론가에 의해

혹평을 받는다.

즉 저명한 「에딘버러 평론」지가 바이런의 시집을 혹평했을 때 바이런은 이에 대항해서 이 평론가를 공격하는 시 〈영국시인과 스코틀랜드의 비평가〉라는 제목의 풍자시를 써서 스코틀랜드 평론가를 비웃어 준다.

바이런은 귀족의 작위와 재산을 상속받았으나 그도 아버지의 피가 섞인 듯 사랑의 편력으로 금전을 탕진한다. 그러기에 21세가 되던 성년의 날, 그는 런던의 한 호텔 방에서 아무도 축하해 주는 사람이 없이 혼자서 쓸쓸하게 지내야 할 만큼 인심도 잃었던 것이다.

그는 머지 않아 영국 국회의 귀족원 국회의원이 된다. 그러나 그는 국회의원의 생리가 맞지 않아서 외국으로 여행을 떠난다.

바이런이 처음 간 곳은 터키였다. 그 당시 터키는 미개국이었다. 바이런은 터키의 오지(奧地)에 온 서양의 문명인들이 부도덕한 짓들을 하는 것을 목격하고 그것을 시로 썼다. 그가 디키를 여행하던 중에 어머니가 병사한다. 어머니가 위독하다는 소식을 듣고 귀국했으나 이미 때는 늦고야 말았다.

1812년 2월에 바이런은 국회에서 연설을 했다. 여기서 그는 불우한 영국의 직물공들을 돕자는 주장을 내세웠다. 바로 이 연설을 한 며칠 뒤에 그는 그가 터키며 이탈리아, 스페인 등을 여행하고 돌아와서 썼던 시집을 발표한다.

이 시집이 바로 바이런을 하루아침에 유명하게 만들었다는 시집 「차일드 해럴드의 순례 *(Childe Harold's Pilgrimage)*」이다.

바이런은 이 시집으로 일약 유명해져서 영국 시단을 풍미(風靡)하게 된다. 그러나 그는 애정문제로 소문이 나빠지면서 남의 입에 자꾸 오르내리게 된다.

그는 1816년에 다시 영국을 떠나 유럽 여행길에 오른다.

그는 외국에서 지내는 동안에도 계속해 시를 써서 작품을 영국으로 보냈고 그때마다 영국 시단에서는 그의 명성이 빛났다. 바이런의 시는 영국의 낭만주의 문학이 자연주의 문학으로 발전하는 데에 큰 촉진제가 되었다.

그는 국회의원이라는 신분이어서 정치적으로 정의(正義)편의 주장을 서슴지 않았고, 그의 시편에는 사회비판적인 내용도 담기게 된다.

그는 이탈리아를 거쳐서 그리스까지 가게 된다.

그는 그 곳에서 때마침 벌어진 그리스의 독립전쟁에 함께 참가하는 의협심을 보이나 그 곳에서 과로와 열병을 얻고 쓰러진다. 1824년 4월 19일 열정의 시인 바이런은 '미솔롱기 *(Missolonghi)*'에서 끝내 이 세상을 떠나고야 마는 것이다.

"자 이제 잠을 자야지" 그는 이렇게 마지막 말을 남기고 파란 많은 짧은 생애를 마감했던 것이다.

세계
명시
선집

□ 옮긴이 – **홍윤기**
한국외국어대학 영어과 졸업
일본 센슈대학 인문과학 연구소 객원연구원(1991)
「현대문학」 시추천 완료(1959)
서울신문 신춘문예 시부문 당선(1959)
제24회 한국문학상 수상(1987)
제9회 한국문학평론가 협회상 수상(1990)
신춘시 동인·한국문인협회 이사
▶ 시집
「내가 처음 너에게 던진 것은」(1986)
「수수한 꽃이여」(1989)
시 해설집
「한국현대시 이해와 감상」(1987) 등이 있음

세계명시선집 〈3〉 **바 이 런**

혁신 초판 발행 2021년 5월 31일
옮 긴 이 홍 윤 기
펴 낸 이 최 석 로
펴 낸 곳 서 문 당
주 소 경기도 고양시 일산 서구 덕산로 99번길 85
우편번호 10204
전 화 031-923-8288
팩 스 031-923-8259
창립일자 1968년 12월 24일
창업등록 1968.12.26 No.가2367
출판등록 제 406-313-2001-000005호
ISBN 978-79-8243-812-0
초판 발행 1991년 11월 20일
* 파본은 바꾸어드립니다.